Salades et Entrées

Sommaire

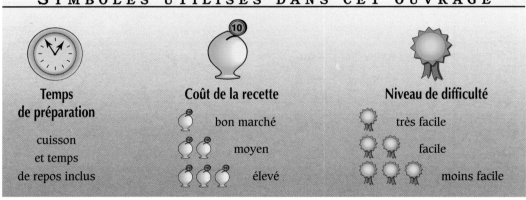

SYMBOLES UTILISÉS DANS CET OUVRAGE

Temps de préparation

cuisson et temps de repos inclus

Coût de la recette

bon marché

moyen

élevé

Niveau de difficulté

très facile

facile

moins facile

Aujourd'hui, on ne saurait concevoir un repas sans une salade, tant il existe de recettes plus appétissantes les unes que les autres.

Rien n'est plus facile que de confectionner une salade, car le nombre d'ingrédients que l'on peut associer selon son goût est infini. Une salade verte s'accompagne, par exemple, de légumes ou de céréales, mais également de viande, de poisson ou de crustacés et fruits de mer. La seule limite est en fait l'imagination dont vous ferez preuve : il n'existe pas en effet de préparations qui offrent autant de créativité.

Le plus souvent, la salade est servie avec une sauce vinaigrette traditionnelle, mais, pour varier les saveurs, vous pouvez lui ajouter certains condiments tels que moutarde, citron, herbes aromatiques, et des ingrédients comme la crème fraîche ou les pousses de soja.

Si les salades occupent, de nos jours, le devant de la scène, et constituent parfois un plat à part entière, cela n'est pas le fruit du hasard. La plupart d'entre elles sont préparées avec des ingrédients crus, et leur apport en vitamines, fibres et minéraux est maximal. Elles satisfont ainsi ceux qui se soucient d'avoir une alimentation saine.

De plus, les salades permettent d'improviser un plat simple ou raffiné, classique ou fantaisie, de la collation au dîner entre amis, en passant par le repas de fête, qu'il s'agisse d'une entrée ou d'un dessert.

Les hors-d'œuvre et les amuse-gueule, quant à eux, constituent un autre type d'entrées, qui se décline également à l'infini : fritures, assiettes froides, canapés, petits sandwichs, fruits de mer, etc.

Après l'apéritif, rien ne vaut une bonne salade ou un hors-d'œuvre maison pour ouvrir l'appétit.

ades vertes et salades de légumes

Salade à la grenade et aux pignons

  45 min

Ingrédients pour 4 personnes
1 scarole, 1 laitue
3 pommes calville
2 brins de menthe
1 petit oignon
2 branches de céleri
1 grenade
2 cuil. de pignons, 2 cuil. de câpres
2 œufs durs, 1 citron vert

Pour la sauce
12 anchois, 3 gousses d'ail
cumin, origan, huile, vinaigre, sel et sucre

Préparation
Lavez puis coupez la scarole et la laitue, dont vous réservez le cœur, ainsi que les pommes, évidées et pelées. Hachez la menthe, l'oignon et le céleri.
Répartissez ces ingrédients dans chaque assiette, sans les mélanger, en formant des cercles ou des carrés et en alternant les couleurs. Garnissez avec les graines de grenade, les pignons, les câpres, les œufs durs hachés et quelques rondelles de citron vert.
Préparez la sauce en mélangeant les anchois et l'ail hachés menu, du cumin, de l'origan, de l'huile, du vinaigre et une pincée de sel et de sucre. Assaisonnez, décorez avec un quart de cœur de laitue et servez.

Salade de feuilles d'artichaut à l'italienne

  45 min

Ingrédients pour 6 personnes
12 artichauts d'une extrême fraîcheur
vinaigre, sel, huile, moutarde, 2 radis

Préparation
Nettoyez les artichauts. Ôtez les feuilles extérieures. Coupez les feuilles entourant le cœur, de façon à conserver seulement la partie la plus tendre.
Préparez une vinaigrette avec du vinaigre, du sel, de l'huile et un peu de moutarde. Nappez-en les feuilles d'artichaut, décorez de rondelles de radis et servez.

Salade d'avocat aux asperges

 50 min

Ingrédients pour 4 personnes
500 g d'asperges vertes, sel
1 laitue
150 g de champignons nettoyés et lavés
1 avocat épluché, ½ citron
1 endive

Pour la sauce
sel et poivre du moulin
2 cuil. de vinaigre de vin
5 cuil. d'huile d'olive vierge

Préparation
Faites cuire les asperges dans de l'eau bouillante salée 20 min environ. Lavez la laitue. Faites blanchir les feuilles et égouttez-les bien. Faites cuire les champignons dans de l'eau bouillante salée 5 min. Coupez les têtes en fines lamelles.
Détaillez l'avocat en dés au centre d'un plat, sur un lit de laitue. Arrosez-les de jus de citron. Répartissez les lamelles de champignon autour. Décorez avec les asperges et des pointes de feuilles d'endive. Nappez d'une vinaigrette préparée avec du sel, du poivre, le vinaigre et l'huile. Servez.

Salade américaine

  50 min

Ingrédients pour 4 personnes
2 pommes de terre, sel
2 grosses tomates
3 branches de céleri
huile et vinaigre, mayonnaise
1 laitue épluchée et lavée

Préparation
Pelez et cuisez les pommes de terre à l'eau salée 20 min environ. Laissez-les refroidir et coupez-les en petits dés. Détaillez les tomates en minces rondelles et le céleri en fines lamelles. Assaisonnez séparément d'huile, vinaigre et sel. Laissez reposer 30 min avant de mélanger les ingrédients et de les napper de mayonnaise. Servez sur un lit de laitue.

Salade de feuilles d'artichaut
à l'italienne (en haut)

Salade d'avocat
aux asperges (en bas)

Salade à la pomme

 1 h

Ingrédients pour 4 personnes
2 pommes de terre
1 petit céleri-rave coupé en quatre, sel
2 pommes pelées, épépinées et coupées en dés
1 laitue lavée et égouttée, mayonnaise
1 petite boîte de pointes d'asperge, tomates cerises

Préparation
Cuisez séparément les pommes de terre en robe des champs et le céleri-rave à l'eau salée 20 min environ. Épluchez les pommes de terre. Coupez-les, ainsi que le céleri, en dés dans un saladier, en réservant quelques lanières de céleri. Ajoutez les dés de pomme. Mélangez. Disposez les feuilles de laitue sur un plat. Répartissez-y le contenu du saladier. Nappez de mayonnaise, posez un morceau d'asperge dessus et décorez de tomates cerises et de lanières de céleri. Servez.

Laitue et cresson aux anchois

 40 min

Ingrédients pour 4 personnes
500 g d'anchois frais, sel
1 laitue feuille de chêne, 1 botte de cresson
1 cuil. de câpres, cerfeuil ciselé
vinaigre, huile

Préparation
Lavez les anchois, videz-les et ôtez la tête. Plongez-les dans de l'eau bouillante salée 1 min, jusqu'à la reprise de l'ébullition. Laissez refroidir, retirez la queue, détachez les filets et réservez.

Lavez soigneusement la laitue et le cresson, coupez-les et mélangez-les dans un saladier. Ajoutez les câpres et le cerfeuil.

Assaisonnez d'une vinaigrette préparée avec sel, vinaigre et huile, puis répartissez les filets d'anchois. Servez.

Salade à la pomme

Salade à la ricotta, au céleri et aux noix

Salade à la ricotta, au céleri et aux noix

 30 min

Ingrédients pour 4 personnes
3 côtes de céleri épluchées et lavées
1 laitue épluchée et lavée
500 g de ricotta coupée en morceaux
sel et poivre du moulin
100 g de cerneaux de noix concassés
50 g de raisins de Corinthe

Préparation
Coupez les côtes de céleri en petits morceaux et les feuilles les plus tendres de la laitue en chiffonnade.
Mélangez le céleri et la laitue et répartissez-les dans chaque assiette.
Ajoutez les morceaux de ricotta.
Salez et poivrez.
Décorez avec les noix et les raisins de Corinthe.
Servez.

Salade de printemps

30 min

Ingrédients pour 4 personnes
1 laitue
2 petits oignons épluchés
3 tomates
1 poivron vert
1 œuf dur
4 radis
100 g d'olives
sel, vinaigre, huile

Préparation
Lavez la laitue, égouttez-la et coupez-la dans un saladier. Coupez les oignons en quatre, les tomates en quartiers, le poivron en lanières et l'œuf dur en rondelles. Ajoutez-les à la salade, ainsi que les radis et les olives. Assaisonnez d'une vinaigrette préparée avec du sel, 2 cuil. de vinaigre et de l'huile. Servez.

Salade au poivron et au thon

 30 min

Ingrédients pour 4 personnes

3 poivrons rouges
3 tomates
2 oignons
sel, vinaigre, huile
200 g de thon à l'huile
2 œufs durs coupés en quartiers
feuilles de basilic

Préparation

Faites griller les poivrons au four 25 min, épluchez-les et coupez-les en lanières. Pelez les tomates, épépinez-les et coupez-les en petits morceaux. Détaillez les oignons en petits dés.

Mélangez ces trois ingrédients dans un plat. Assaisonnez d'une vinaigrette préparée avec sel, vinaigre et huile.

Coupez le thon en morceaux et répartissez-le sur la salade. Disposez les quartiers d'œuf dur tout autour et décorez de feuilles de basilic. Mettez au réfrigérateur avant de servir.

Salade Mikonos

 1 h 50 min

Ingrédients pour 4 personnes

2 aubergines
1 oignon épluché
2 gousses d'ail épluchées
2 tomates
sel et poivre du moulin
2 cuil. de vinaigre
20 cl d'huile
50 g d'olives noires
2 poivrons verts

Préparation

Lavez soigneusement les aubergines et faites-les cuire au four 1 h 30 min. La peau doit être bien grillée.

Pelez-les et coupez la chair en gros cubes, en ôtant les pépins.

Hachez menu l'oignon et les gousses d'ail. Pelez et coupez les tomates en quartiers.

Mélangez tous les ingrédients dans un plat en terre cuite. Assaisonnez d'une vinaigrette préparée avec sel, poivre, vinaigre et huile.

Décorez avec les olives et les poivrons coupés en anneaux. Servez.

Salade de carottes aux raisins secs

 2 h 30 min

Ingrédients pour 4 personnes

sel, poivre du moulin, vinaigre et huile
le jus de 1 orange

Salade au poivron et au thon

le jus de 1 citron
100 g de raisins secs
5 carottes
2 endives

Préparation

Préparez l'assaisonnement avec une pincée de sel et de poivre, quelques gouttes de vinaigre, 5 cuil. d'huile, le jus d'orange et le jus de citron.

Ajoutez les raisins secs et laissez reposer 2 h.

Pendant ce temps, lavez les carottes et râpez-les. Disposez-les dans un plat et décorez avec les endives coupées dans le sens de la longueur.

Versez l'assaisonnement sur la salade et servez.

*Salade
à la russe*

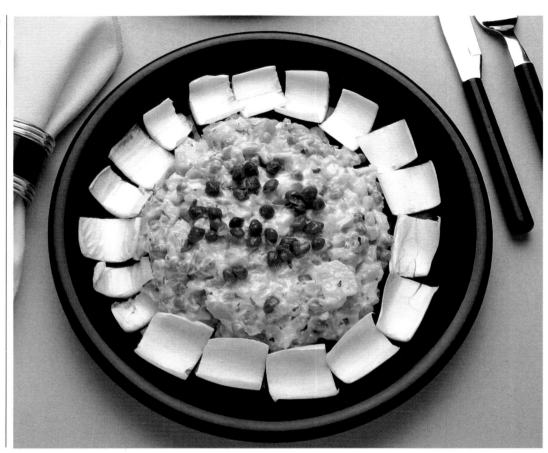

Salade à la russe

 1 h

Ingrédients pour 6 personnes
1 kg de pommes de terre lavées mais non pelées
250 g de carottes épluchées, sel
250 g de haricots verts effilés
250 g de petits pois écossés
1 jaune d'œuf, huile, vinaigre, poivre du moulin
1 cuil. à café de câpres
quelques feuilles d'endive coupées en morceaux

Préparation
Mettez les pommes de terre dans une casserole. Couvrez-les d'eau froide, ajoutez une pincée de sel et faites-les cuire 20 min environ. Épluchez-les et coupez-les en petits cubes. Dans un autocuiseur, faites cuire les carottes et les haricots verts coupés en dés, avec les petits pois, dans un peu d'eau, 15 min. Égouttez-les et mettez-les dans un grand plat. Laissez refroidir. Préparez une mayonnaise au mixeur avec le jaune d'œuf, de l'huile, du vinaigre, du sel et une pincée de poivre. Mélangez les légumes avec la mayonnaise. Dressez la salade sur un plat. Décorez avec les câpres et disposez des morceaux d'endive tout autour. Servez.

Salade de céleri aux raisins secs

 45 min

Ingrédients pour 4 personnes
1 orange, 1 citron
100 g de raisins secs, 1 pied de céleri-branche
5 noix, 1 tomate lavée et pelée
1 pomme lavée et pelée
sel, poivre du moulin, huile d'olive
1 concombre coupé en rondelles

Préparation
Pressez l'orange, dont vous réservez l'écorce, et le citron. Faites macérer les raisins secs dans le jus des agrumes 30 min.
Lavez le céleri et coupez les côtes en petits morceaux. Coupez les cerneaux de noix en deux. Détaillez la tomate et la pomme en petits dés.
Mettez céleri, tomate et pomme dans un plat. Mélangez. Décorez avec les raisins secs et les noix, puis versez le jus de macération des raisins. Mélangez. Assaisonnez de sel, poivre et un peu d'huile d'olive. Parsemez un peu de zeste d'orange râpé.
Décorez avec des rondelles de concombre. Servez.

Salade Rachel

   1 h 30 min

Ingrédients pour 4 personnes

4 pommes de terre, sel
1 boîte de cœurs d'artichaut, ½ céleri-rave
1 petite truffe ou 1 petit bocal de pelures de truffe
vinaigre, huile
1 petite boîte de pointes d'asperge

Préparation

Faites cuire les pommes de terre à l'eau salée 20 min. Pelez-les et coupez-les en dés. Divisez chaque cœur d'artichaut en trois. Blanchissez le céleri, égouttez-le et coupez-le en lamelles. Ajoutez la truffe finement émincée ou les pelures.

Mettez ces quatre ingrédients dans un saladier. Assaisonnez d'une vinaigrette préparée avec sel, vinaigre et huile. Décorez avec les pointes d'asperge.

Il existe une variante de la salade Rachel dans laquelle on remplace la vinaigrette par de la mayonnaise. Dans ce cas, ne mettez pas de truffe.

Salade de chou aux cacahuètes et aux raisins secs

   1 h 50 min

Ingrédients pour 6 personnes

1 chou
4 pommes reinettes
50 g de raisins secs
50 g de cacahuètes grillées et broyées
mayonnaise très fluide
sel, persil

Préparation

Lavez le chou, ôtez les feuilles extérieures et émincez le cœur en fines lanières.

Coupez les pommes en petits dés. Ajoutez les raisins secs et les cacahuètes broyées.

Salez et parsemez de persil finement haché. Nappez de mayonnaise et laissez macérer 30 min au réfrigérateur avant de servir.

Salade de céleri aux raisins secs

Salade de pommes de terre aux poivrons

 1 h 30 min

Ingrédients pour 4 personnes

1 kg de pommes de terre, sel
4 poivrons rouges, 2 œufs durs
vinaigre de xérès, huile d'olive

Préparation

Faites cuire les pommes de terre en robe des champs à l'eau salée 20 min environ. Pelez-les et coupez-les en fines rondelles. Faites griller les poivrons au four 25 min, laissez-les refroidir, ôtez la peau et détaillez-les en lanières. Émiettez les jaunes d'œufs et émincez finement les blancs.

Dressez les pommes de terre et les poivrons dans un plat, répartissez le blanc d'œuf et parsemez le jaune. Assaisonnez d'une vinaigrette préparée avec du sel, du vinaigre et de l'huile d'olive. Servez.

Salade de courgettes au basilic

 30 min

Ingrédients pour 6 personnes

4 petites courgettes
3 tasses de basilic
sel et poivre du moulin
$1/2$ citron
5 cl d'huile d'olive

Préparation

Lavez les courgettes, ôtez la peau et coupez-les en rondelles, le plus finement possible, dans un saladier. Lavez les feuilles de basilic, épongez-les et mélangez-les avec les rondelles de courgette.

Assaisonnez d'une vinaigrette préparée avec du sel, du poivre, le jus de citron et l'huile d'olive. Servez.

Céleri à la mayonnaise

 1 h

Ingrédients pour 4 personnes

1 pied de céleri-branche sans les feuilles, sel
mayonnaise additionnée de câpres

Préparation

Faites cuire le cœur de céleri à l'eau salée 30 min. Laissez-le refroidir, puis coupez-le en tronçons, en réservant les côtes extérieures pour décorer les assiettes. Ajoutez la mayonnaise. Mélangez et servez froid.

Salade aux asperges vertes et blanches

 1 h

Ingrédients pour 6 personnes

12 asperges blanches, 12 asperges vertes
sel, 3 œufs durs, vinaigre et huile
1 petite tomate lavée et pelée, 6 cornichons

Préparation

Faites cuire les asperges séparément à l'eau salée 20 min. Égouttez-les et coupez les pointes.

Émincez les blancs d'œufs et écrasez les jaunes. Préparez une vinaigrette avec du sel, du vinaigre, de l'huile et des petits dés de tomate. Disposez les asperges dans les assiettes, en alternant les couleurs.

Versez un peu de vinaigrette sur les pointes. Mettez le reste dans une saucière, avec le tiers de blanc et de jaune d'œuf. Parsemez les asperges du blanc et du jaune restants. Décorez avec les cornichons. Servez.

Salade de courgettes à l'italienne

 45 min

Ingrédients pour 4 personnes

sel, 2 courgettes
huile, vinaigre ou herbes aromatiques ciselées

Préparation

Faites chauffer de l'eau avec du sel dans une casserole. Lavez les courgettes et coupez-les en rondelles pas trop fines. Lorsque l'eau bout, plongez-y les rondelles de courgette et faites-les cuire al dente 1 min.

Laissez refroidir et assaisonnez de quelques gouttes d'huile et de vinaigre, ou d'herbes. Servez.

Salade de betteraves

 30 min

Ingrédients pour 6 personnes

4 betteraves cuites, 1 œuf dur, sel, vinaigre, huile

Préparation

Ôtez la peau des betteraves et coupez-les en tranches minces.

Émincez ou hachez l'œuf dur. Ajoutez-le aux betteraves et mélangez. Assaisonnez d'une vinaigrette préparée avec sel, vinaigre et huile. Servez.

Céleri à la mayonnaise
(en bas)

Salade aux asperges vertes
et blanches (en haut)

Salades de riz, pâtes et légumes secs

Salade de riz au thon

 45 min

Ingrédients pour 4 personnes

400 g de riz
huile d'olive, jus de citron
1 cuil. de sauce Worcester, poivre du moulin
persil haché
1 cuil. d'oignon haché
200 g de thon au naturel
2 tomates pelées et évidées
1 poivron frais ou en conserve
1 œuf dur
1 petite boîte de petits pois
50 g d'olives noires
50 g de câpres
80 g de gruyère râpé

Préparation

Faites cuire le riz à l'eau salée 20 min. Passez-le sous l'eau froide, égouttez-le et mettez-le dans un plat. Préparez l'assaisonnement avec de l'huile, du jus de citron, la sauce Worcester, du poivre, du persil haché et l'oignon haché. Ajoutez le thon émietté, puis les tomates et le poivron coupés en petits dés.

Versez la sauce sur le riz. Coupez l'œuf en rondelles et disposez-les autour du plat.

Répartissez les petits pois et décorez avec les olives, les câpres et le gruyère râpé.

Salade de coquillettes aux pointes d'asperge

 1 h

Ingrédients pour 4 personnes

500 g de coquillettes
sel
1 botte d'asperges
2 cuil. de crème fraîche liquide
mayonnaise

Préparation

Faites cuire les coquillettes à l'eau salée 15 min environ et passez-les sous l'eau froide.

Coupez les pointes des asperges et faites-les cuire al dente à l'eau bouillante salée 5 min.

Dans un saladier, mélangez les coquillettes et les asperges coupées en petits morceaux. Ajoutez la mayonnaise, additionnée de la crème fraîche. Laissez macérer 30 min au réfrigérateur avant de servir.

Salade de riz au thon

Salade de riz aux raisins secs

Salade de riz aux raisins secs

 50 min

Ingrédients pour 4 personnes

3 cuil. de raisins secs
2 tomates, 1 poivron rouge
3 carottes, 100 g d'olives vertes
200 g de riz, $^1/_2$ poulet rôti
sel, vinaigre, huile de pépins de raisin

Préparation

Faites tremper les raisins secs dans de l'eau tiède. Détaillez les tomates en rondelles et le poivron en lanières. Émincez les carottes et les olives en petits dés. Faites cuire le riz à l'eau salée 20 min. Pendant ce temps, désossez le poulet et coupez-le en petits morceaux. Égouttez le riz et passez-le sous l'eau froide, pour éviter que les grains ne collent.

Mettez le riz dans un plat. Répartissez les tomates, le poivron, les carottes et les olives. Disposez les morceaux de poulet tout autour. Décorez avec les raisins secs, égouttés. Assaisonnez d'une vinaigrette préparée avec sel, vinaigre et huile de pépins de raisin. Servez.

Salade de spaghettis aux anchois

1 h 30 min

Ingrédients pour 4 personnes

500 g de spaghettis, sel, huile
4 tomates, dont 2 très mûres
1 boîte d'anchois
2 cuil. de câpres, 100 g d'olives

Préparation

Faites cuire les spaghettis dans une grande quantité d'eau salée, additionnée de quelques gouttes d'huile, 20 min environ. Passez-les sous l'eau froide, égouttez et réservez.

Écrasez les tomates les plus mûres au presse-purée, coupez les autres en petits dés. Mélangez l'huile des anchois à la sauce tomate, en ajoutant une pincée de sel. Nappez les spaghettis de sauce et remuez avec une spatule en bois.

Laissez reposer 1 h au réfrigérateur. Au moment de servir, jetez une partie de la sauce dans laquelle ont macéré les spaghettis. Ajoutez les anchois coupés en morceaux, les câpres, les olives et les dés de tomate.

Salade de haricots blancs au thon

  2 h

Ingrédients pour 6 personnes

1 kg de haricots blancs (lingots, par exemple)
huile
1 grosse boîte de thon au naturel
poivre du moulin, le jus de 1 citron
1 oignon, 1 tomate, des pousses de graines germées

Préparation

Lavez les haricots, couvrez-les d'eau froide et laissez-les tremper une nuit.
Faites-les cuire dans de l'eau, additionnée d'un peu d'huile, 1 h 50 min environ. Égouttez-les et mettez-les dans un plat. Ajoutez le thon émietté et mélangez.
Préparez la sauce avec de l'huile, du poivre et le jus de citron. Nappez-en les haricots. Décorez avec des rondelles d'oignon et de tomate et des pousses de graines germées.

Salade de lentilles

   4 h

Ingrédients pour 6 personnes

400 g de lentilles
2 oignons
1 feuille de laurier
4 tomates
sel, vinaigre, moutarde
1 cuil. de persil ciselé
poivre du moulin
huile d'olive

Préparation

Lavez les lentilles, couvrez-les d'eau froide et laissez-les tremper au moins 6 h. Égouttez-les, mettez-les dans une casserole avec 1 oignon épluché entier et le laurier. Couvrez d'eau froide et faites chauffer. Lorsque l'eau commence à bouillir, baissez le feu et laissez cuire à feu doux 1 h 30 min environ.
Pelez et hachez les tomates et l'oignon restant.
Préparez une vinaigrette avec sel, vinaigre, un peu de moutarde, poivre et huile d'olive.
Égouttez les lentilles. Mettez-les dans un saladier. Ajoutez les tomates, l'oignon haché et la moitié du persil ciselé. Versez la vinaigrette, mélangez et mettez au réfrigérateur 2 à 3 h.
Au moment de servir, parsemez le reste de persil ciselé.

Salade aux pois chiches et aux poivrons

   1 h 15 min

Ingrédients pour 6 personnes

1 grosse boîte de pois chiches (500 g)
6 poivrons rouges en conserve

Salade de haricots blancs au thon

3 poivrons verts frais
2 branches de céleri
mayonnaise sortant du réfrigérateur

Préparation

Égouttez les pois chiches. Mettez-les dans un saladier.
Ajoutez les poivrons rouges coupés en lanières, avec
une petite quantité de leur jus.

Incorporez les poivrons verts coupés en petits morceaux, puis le céleri, lavé, épluché et finement émincé.
Mettez la salade au réfrigérateur 1 h.
Au moment de servir, ajoutez la mayonnaise et
mélangez.

Salades de poisson et fruits de mer

■ Salade de morue aux câpres

 30 min

Ingrédients pour 4 personnes

400 g de filets de morue, mayonnaise fluide
2 cuil. de câpres, 1 brin de persil

Préparation

Faites tremper les filets de morue 24 h dans de l'eau froide, que vous changerez trois fois.

Égouttez la morue, ôtez la peau et émincez-la grossièrement.

Dressez la morue sur un plat et entourez-la de mayonnaise. Parsemez les câpres sur la mayonnaise, décorez d'un brin de persil et servez.

■ Salade à la turinoise

 20 min

Ingrédients pour 4 personnes

750 g de champignons émincés en fines lamelles
50 g de persil haché
6 filets d'anchois mis à dessaler dans du lait
    quelques heures
2 jaunes d'œufs, 1 gousse d'ail épluchée
1 citron
sel

Préparation

Mettez les champignons dans un saladier.

Dans une assiette creuse, mélangez le persil, les filets d'anchois coupés en dés et les jaunes d'œufs battus, en tournant avec une fourchette au bout de laquelle vous aurez piqué la gousse d'ail.

Lorsque le mélange est crémeux, versez-le sur les champignons, mélangez délicatement et servez.

■ Salade de haricots verts aux anchois

 45 min

Ingrédients pour 4 personnes

1 petite boîte d'anchois, lait
500 g de haricots verts
1 bocal de poivrons rouges en conserve
2 œufs durs, sel, vinaigre, huile, persil

Préparation

Faites dessaler les anchois dans du lait quelques heures.

Faites cuire les haricots verts à l'eau salée 15 min.

Dans un plat, mélangez les anchois, les haricots verts, les poivrons coupés en petits morceaux et les œufs durs coupés en quatre. Préparez une vinaigrette, versez-la sur la salade et parsemez du persil haché.

Salade de morue aux câpres

Salade de saumon fumé aux civelles

Salade de morue à l'orange

 1 h

Ingrédients pour 6 personnes

600 g de filets de morue, 6 oranges
50 g d'olives dénoyautées
6 brins de ciboulette
4 cuil. d'huile, 1 cuil. de vinaigre de xérès
1 cuil. à café de paprika doux, sel
1 gousse d'ail
3 œufs durs

Préparation

Faites tremper les filets de morue 24 h dans de l'eau froide, que vous changerez trois fois. Épongez-les, faites-les griller au four, laissez refroidir et ôtez la peau. Émiettez la morue dans un saladier.

Ajoutez les oranges pelées et coupées en petits morceaux, les olives et la ciboulette ciselée.

Préparez une sauce avec l'huile, le vinaigre, le paprika, une pincée de sel et la gousse d'ail pilée. Ajoutez 20 cl d'eau et les œufs durs finement hachés. Versez la sauce sur la salade, mélangez et mettez au réfrigérateur 30 min avant de servir.

Salade de saumon fumé aux civelles

 45 min

Ingrédients pour 6 personnes

300 g de civelles
500 g de saumon fumé
sel, huile, jus de citron
2 endives
1 botte de cresson ou pousses de graines germées
1 brin de coriandre

Préparation

Mettez les civelles dans un saladier. Ajoutez le saumon fumé coupé en petits morceaux.

Assaisonnez avec une pincée de sel, un peu d'huile et de jus de citron. Mélangez et laissez macérer 30 min.

Coupez les endives en très fines lanières. Répartissez-les dans les assiettes. Posez 2 cuillerées du mélange saumon-civelles dessus.

Décorez avec quelques feuilles de cresson ou des pousses de graines germées et un brin de coriandre.

Salade de langoustines aux épinards

 50 min

Ingrédients pour 6 personnes

250 g de jeunes épinards très frais
huile d'olive, sel et poivre du moulin
3 échalotes
24 langoustines
30 cl de champagne
tomates cerises

Préparation

Coupez les tiges des épinards. Lavez les feuilles, épongez-les et répartissez-les dans les assiettes.
Assaisonnez d'une sauce préparée avec 12 cuillerées d'huile, du sel et du poivre.
Émincez les échalotes et faites-les revenir à feu doux dans une grande poêle avec un peu d'huile. Ajoutez les langoustines et faites-les dorer.
Versez 20 cl de champagne dans la poêle et laissez cuire 3 min environ.
Ôtez la poêle du feu et enlevez les langoustines. Détachez les queues de langoustine et réservez-les au chaud.
Remettez les têtes de langoustine dans la poêle, ajoutez le reste du champagne et laissez réduire la sauce.
Disposez les queues et les têtes de langoustine sur les épinards. Passez la sauce au chinois et versez-la dans les assiettes. Décorez avec des tomates cerises.

Salade de queues d'écrevisse

 50 min

Ingrédients pour 4 personnes

1 kg d'écrevisses, 1 feuille de laurier
1 laitue (facultatif), sel, vinaigre, huile
1 œuf dur, 1 oignon, 1 cornichon hachés menu (facultatif)
cresson ou pousses de graines germées (facultatif)
ciboulette

Préparation

Plongez les écrevisses dans un faitout d'eau bouillante contenant le laurier 3 min.
Retirez les écrevisses du faitout et laissez-les refroidir. Décortiquez les queues. Réservez les têtes.
Si vous utilisez de la laitue, lavez-la, émincez les

feuilles et tapissez-en un plat. Disposez les queues d'écrevisse dessus, en intercalant les têtes.
Préparez une vinaigrette avec sel, vinaigre et huile, éventuellement additionnée d'œuf dur, oignon et cornichon hachés. Décorez, le cas échéant, de feuilles de cresson ou de pousses de graines germées et de brins de ciboulette.

Salade de civelles

 35 min

Ingrédients pour 4 personnes

400 g de civelles
1 oignon épluché
2 gousses d'ail épluchées
2 cuil. d'huile d'olive
le jus de 1 citron
sel, persil ciselé

Préparation

Épongez les civelles avec un torchon. Hachez l'oignon et l'ail.
Mettez les civelles dans un petit saladier. Ajoutez l'huile, le jus de citron, l'ail et l'oignon hachés. Salez. Laissez reposer quelques minutes.
Parsemez de persil ciselé et servez.

Salade de poulet à l'emmental

 1 h 10 min

Ingrédients pour 6 personnes

1 poulet vidé
huile, sel
1 branche de céleri
100 g d'emmental
mayonnaise fluide

Préparation

Faites cuire le poulet dans de l'eau, additionnée d'un peu d'huile et d'une pincée de sel, 40 min. Égouttez-le et désossez-le. Réservez.
Nettoyez le céleri et coupez-le en petits dés, ainsi que l'emmental. Émincez le poulet.
Mettez tous les ingrédients dans un saladier, ajoutez de la mayonnaise et mélangez.
Mettez au réfrigérateur 30 min avant de servir.

Salade de langoustines
aux épinards (en bas)

Salade de queues
d'écrevisse (en haut)

Salades à la viande

Salade au râble de lièvre

    2 h 30

Ingrédients pour 6 personnes

1 kg de morceaux de râble de lièvre
huile
jus de viande
15 cl de vin rouge
50 g d'écorce d'orange confite
2 cuil. de câpres
2 cuil. de raisins secs
2 cuil. de pignons
1 petite branche de céleri
1 grenade
2 cuil. de groseilles
quelques feuilles de mâche

Préparation

Faites revenir les morceaux de râble à feu doux dans une poêle contenant un peu d'huile.

Lorsqu'ils sont presque cuits, au bout de 45 min, ajoutez un peu de jus de viande et le vin. Laissez réduire.

Disposez les morceaux de lièvre dans un plat.

Parsemez l'écorce d'orange confite coupée en petits morceaux et les câpres. Répartissez autour les raisins secs, les pignons, le céleri émincé et les graines de grenade mélangées avec les groseilles.

Nappez de sauce et décorez avec de la mâche.

Salade munichoise

   1 h 20

Ingrédients pour 6 personnes

6 pommes
le jus de 1 citron
2 oignons
1 kg de pommes de terre
1 feuille de laurier
500 g de saucisses de Francfort
300 g de grosses saucisses cuites
1 bocal de cornichons
mayonnaise additionnée de 1 cuil. à café
    de moutarde, sel

Préparation

Pelez les pommes, coupez-les en petits dés et arrosez-les de la moitié du jus de citron, pour éviter qu'elles ne s'oxydent. Épluchez les oignons et émincez-les. Réservez.

Faites cuire les pommes de terre dans une grande quantité d'eau, avec le laurier, 30 min environ. Pelezles et coupez-les en petit dés.

Détaillez les saucisses en fines rondelles, ainsi que les cornichons égouttés.

Mettez tous les ingrédients dans un saladier. Ajoutez la mayonnaise et mélangez délicatement avec une cuillère en bois.

Mettez au réfrigérateur 30 min avant de servir.

Salade au râble de lièvre

Salade de magret de canard

 40 min

Ingrédients pour 6 personnes

150 g de mâche
1 botte de cresson ou pousses de graines germées
1 botte de radis
600 g de filets de magret de canard
sel, vinaigre de vin, poivre du moulin, huile

Préparation

Lavez la mâche et, éventuellement, le cresson.
Entaillez les radis de façon à former des motifs décoratifs.
Disposez les filets de magret de canard en éventail dans chaque assiette.
Répartissez la mâche et le cresson ou les pousses de graines germées. Décorez avec les radis.
Assaisonnez d'une vinaigrette préparée avec sel, vinaigre, poivre et huile. Servez.

Salade de cailles

 1 h

Ingrédients pour 6 personnes

6 cailles vidées
3 œufs de caille

huile
2 oignons
2 gousses d'ail
2 carottes
5 grains de poivre noir
1 feuille de laurier
vinaigre
sel et poivre du moulin
quelques feuilles de salade

Préparation

Détachez les pattes des cailles. Saupoudrez-les d'une pincée de sel et de poivre.
Dans une poêle, mettez de l'huile, les oignons et les gousses d'ail épluchés et hachés, les carottes pelées et coupées en petits morceaux, le poivre noir en grains et la feuille de laurier. Faites revenir 10 min environ. Mettez les pattes des cailles, puis les carcasses.
Laissez dorer, ajoutez un peu d'eau, quelques gouttes de vinaigre, et laissez cuire à l'étouffée 30 min.
Ôtez la poêle du feu, découpez les blancs en filets, mais ne désossez pas les pattes. Réservez le jus de cuisson.
Mettez les feuilles de salade sur un plat. Disposez les filets de caille au centre et les pattes vers l'extérieur.
Préparez une vinaigrette. Ajoutez 2 cuillerées du jus de cuisson, avec des oignons et des carottes, passé au mixeur. Décorez avec les œufs de caille. Servez tiède.

Salades exotiques

Salade de melon aux langoustines

 50 min

Ingrédients pour 6 personnes

1 melon
12 langoustines
huile d'olive
4 cuil. de mayonnaise
le jus de $1/2$ citron
4 cuil. de crème fraîche liquide
1 cuil. à café de curry, sel
6 feuilles de vigne
1 cuil. de persil ciselé

Préparation

Coupez le melon et ôtez les graines. Prélevez la chair avec une petite cuillère parisienne. Réservez.
Décortiquez les langoustines et faites sauter les queues à feu doux dans une poêle contenant 1 cuillerée d'huile 20 min environ.
Dans un bol, mettez la mayonnaise, le jus de citron, la crème fraîche, le curry et une pincée de sel. Mélangez.
Lavez les feuilles de vigne, épongez-les et mettez-les dans un plat. Posez les boules de melon et les queues de langoustine dessus. Nappez de sauce et parsemez le persil ciselé. Servez.

Salade tropicale

  40 min

Ingrédients pour 4 personnes

100 g de prunes dénoyautées
100 g de fraises, 1 cœur de laitue
1 pomme émincée en tranches, mises à macérer
    dans 1 cuil. de jus de citron
100 g de cerneaux de noix
quelques lanières de céleri
50 g de noix de coco râpée
mayonnaise (facultatif)

Préparation

Disposez les prunes et les fraises sur un lit de laitue. Répartissez les tranches de pomme autour. Décorez avec les noix et le céleri. Saupoudrez la noix de coco. Mettez au réfrigérateur 30 min et servez, éventuellement, avec un bol de mayonnaise.

lades de fruits

Salade aux trois raisins

 30 min

Ingrédients pour 6 personnes

2 grappes de raisin noir
2 grappes de raisin blanc, 3 grappes de muscat
4 cuil. de petits raisins secs dorés
4 cuil. de raisins de Corinthe
50 g de noix hachées

Préparation

Lavez les grappes de raisin et prélevez les grains un par un.

Ôtez la peau des raisins et mettez-les dans un bol, à l'exception d'un tiers des grains de muscat, que vous passez au mixeur.

Tamisez le moût obtenu et mettez-le au réfrigérateur 15 min.

Mettez les raisins frais et secs dans un saladier. Mélangez, versez le jus de muscat et parsemez les noix hachées.

Salade aux pommes et aux dattes

 40 min

Ingrédients pour 4 personnes

1 cœur de laitue
1 pied de céleri
150 g de dattes dénoyautées
4 pommes, 1 cuil. de menthe ciselée
2 yaourts
50 g de pistaches grillées

Préparation

Lavez les feuilles de laitue et les côtes de céleri, épongez-les et coupez-les en petits morceaux.

Émincez les dattes. Pelez les pommes et détaillez-les en petits dés.

Incorporez la menthe ciselée aux yaourts.

Mettez tous les ingrédients dans un saladier, mélangez délicatement et décorez avec les pistaches grillées finement hachées. Servez.

Salade de melon et de fraises

Salade de melon et de fraises

  30 min

Ingrédients pour 6 personnes

1 gros melon jaune
350 g de fraises
le jus de $^1/_2$ citron
1 orange, 2 cuil. de sucre
2 brins de menthe
1 verre de xérès

Préparation

Coupez le melon en deux horizontalement, ôtez les graines et prélevez la chair, avec une petite cuillère parisienne, en en laissant 1 cm autour de l'écorce.
Lavez les fraises et laissez-les macérer dans le jus de citron.
Pressez l'orange et réservez le jus.
Versez un peu d'eau dans une petite casserole. Ajoutez le sucre et quelques feuilles de menthe, puis faites chauffer jusqu'à obtention d'un sirop. Ôtez la menthe ; versez le jus d'orange et le xérès. Remettez sur le feu quelques secondes.
Répartissez la chair de melon dans les demi-melons, posez les fraises dessus, nappez de sirop et décorez le plat avec un brin de menthe.

Salade à l'orange

40 min

Ingrédients pour 4 personnes

5 oranges, 2 grosses pommes de terre
sel
2 bananes
1 cœur de laitue
poivre blanc du moulin
mayonnaise
persil haché menu
quelques feuilles de trévise

Préparation

Coupez quatre oranges en deux, en les incisant en couronne en forme d'étoile, et évidez-les. Réservez les écorces.
Faites cuire les pommes de terre à l'eau salée 25 min environ, puis détaillez-les en cubes. Coupez les bananes et l'orange restante en petits dés. Détaillez la laitue en chiffonnade.
Assaisonnez de sel et poivre blanc. Ajoutez la mayonnaise et mélangez délicatement.
Remplissez quatre demi-oranges de salade et parsemez de persil haché. Décorez avec la laitue et une feuille de trévise. Servez.

Salade de fruits à la ricotta

 30 min

Ingrédients pour 4 personnes

1 orange, 2 pommes, 2 mandarines
1 yaourt, 300 g de ricotta très fraîche
4 cerises confites, quelques brins de ciboulette

Préparation

Pelez les fruits. Coupez l'orange et les pommes en petits morceaux dans un saladier. Ajoutez une mandarine séparée en quartiers et mélangez avec le yaourt.
Coupez la ricotta en grands triangles peu épais et répartissez-les sur les assiettes. Nappez-les de fruits au yaourt et décorez avec des quartiers de la mandarine restante, une cerise confite et des brins de ciboulette.

Salade d'ananas, d'oranges et de maïs

 30 min

Ingrédients pour 6 personnes

2 épis de maïs doux ou une boîte de maïs en conserve
sel, 4 oranges, 1 ananas
le jus de $1/2$ citron, 1 cuil. de sucre (facultatif)
feuilles de basilic ou de menthe

Préparation

Si vous utilisez du maïs doux, faites cuire les épis à l'eau bouillante salée 15 min.
Pelez les oranges et divisez-les en quartiers que vous coupez en deux.
Coupez l'ananas en quatre dans le sens de la hauteur, ôtez l'écorce avec un couteau et détaillez chaque morceau en petits triangles dont vous enlevez la partie fibreuse.
Mélangez orange, ananas et maïs, puis répartissez la salade dans les assiettes. Vous pouvez ajouter du jus de citron et du sucre. Décorez d'une feuille de basilic ou de menthe.

Salade d'abricots et de nèfles

 1 h 45 min

Ingrédients pour 6 personnes

1 kg d'abricots
1 kg de nèfles

4 cuil. de sucre
1 verre de porto

Préparation

Pelez les abricots et les nèfles, coupez-les en deux et dénoyautez-les.
Mettez les fruits dans une casserole avec un peu d'eau et la moitié du sucre. Faites cuire à feu doux 10 min.
Laissez refroidir. Coupez les abricots et les nèfles en quartiers, que vous disposez en cercles concentriques dans un plat, en les alternant.
Saupoudrez le reste de sucre et versez le porto.
Mettez au réfrigérateur 1 à 2 h avant de servir.

Salade de bananes au yaourt

 1 h 20 min

Ingrédients pour 6 personnes

1 kg de bananes
2 yaourts
150 g de pignons

Préparation

Pelez les bananes et coupez-les en fines rondelles dans un saladier.
Ajoutez le yaourt, mélangez et laissez macérer 1 h au réfrigérateur.
Au moment de servir, parsemez les pignons.

Salade de mandarines au basilic

 45 min

Ingrédients pour 6 personnes

12 mandarines
50 g de sucre en poudre
2 brins de basilic ou 1 bâton de cannelle

Préparation

Pelez les mandarines et divisez-les en quartiers. Réservez au réfrigérateur.
Dans une petite casserole, faites bouillir un verre d'eau avec le sucre et le basilic ou la cannelle, de façon à obtenir un sirop peu épais.
Laissez-le refroidir et versez-le sur les mandarines. Servez.

*Salade de fruits
à la ricotta (en bas)*

*Salade d'ananas, d'oranges
et de maïs (en haut)*

Hors-d'œuvre frits

Rouleaux au parmesan

Pain de mie au fromage

  45 min

Ingrédients pour 6 personnes
12 tranches de pain de mie rond (de préférence
de la veille)
25 cl de lait, 6 tranches fines de fromage fondu
1 œuf battu, huile pour friture

Sauce Béchamel
50 g de beurre, 50 g de farine
50 cl de lait chaud
sel, poivre du moulin, noix muscade

Préparation
Passez les tranches de pain de mie rapidement dans le lait. Laissez-les égoutter.

Préparez la béchamel. Faites fondre le beurre, puis incorporez la farine en mélangeant. Ajoutez le lait et laissez cuire 8 min. Retirez la sauce du feu et assaisonnez de sel, poivre et noix muscade.

Découpez des cercles de la taille des tranches de pain dans les tranches de fromage. Passez six tranches de pain dans la béchamel, d'un côté. Posez dessus une tranche de fromage, puis une autre tranche de pain que vous aurez également passée dans la sauce d'un côté. Badigeonnez avec l'œuf battu et faites frire dans de l'huile bouillante. Servez aussitôt.

Rouleaux au parmesan

  1 h 30 min

Ingrédients pour 4 personnes
25 cl de lait
25 g de beurre
sel, poivre du moulin, noix muscade
75 g de farine
2 œufs
1 cuil. à café de levure
50 g de parmesan râpé
huile pour friture

Préparation
Mettez le lait et le beurre dans une casserole. Assaisonnez de sel, poivre et noix muscade. Faites chauffer jusqu'à l'ébullition. Ôtez la casserole du feu, ajoutez la farine et battez vigoureusement avec une spatule.

Remettez sur le feu, jusqu'à ce que la pâte se détache aisément de la paroi de la casserole. Laissez refroidir.

Lorsque la pâte est tiède, incorporez les œufs un à un, en mélangeant bien, puis la levure et le parmesan râpé. Laissez reposer.

Façonnez la pâte en boudins que vous tronçonnez en petits rouleaux. Plongez-les dans de l'huile bouillante. Laissez frire, égouttez sur du papier absorbant et servez aussitôt.

Friture de roussette

 1 h

Ingrédients pour 6 personnes

3 gousses d'ail, sel, piment doux, origan, cumin
15 cl de vinaigre de xérès
2 kg de roussette préparée et coupée en petits tronçons
farine, huile pour friture

Préparation

Dans un mortier, pilez les gousses d'ail avec une pincée de sel, du piment doux, de l'origan et du cumin.
Transvasez le mélange dans un récipient. Ajoutez 75 cl d'eau et le vinaigre. Mélangez. Faites macérer les tronçons de roussette dans cette marinade 12 h.
Égouttez les tronçons de roussette, passez-les dans la farine, puis faites-les frire dans de l'huile très chaude. Servez aussitôt.

Boulettes de purée farcies au veau

 1 h

Ingrédients pour 6 personnes

1,5 kg de pommes de terre, 40 g de farine
1 œuf, 1 cuil. de persil ciselé
1 cuil. de gruyère râpé
sel, poivre du moulin, noix muscade
farine, huile pour friture

Pour la farce

100 g de beurre
1 oignon
1 tomate
100 g de veau haché
100 g de raisins secs
1 œuf dur
sel, poivre du moulin, sucre en poudre

Préparation

Épluchez les pommes de terre, coupez-les en dés et faites-les cuire à l'eau bouillante salée 25 min environ. Réduisez-les en purée ; ajoutez la farine, l'œuf, le persil ciselé et le gruyère râpé. Assaisonnez de sel, poivre et noix muscade.
Préparez la farce.
Farinez-vous les mains. Prélevez une cuillerée de purée et aplatissez-la à la main, de façon à former une petite galette. Disposez un peu de farce au milieu, que vous enveloppez en formant une boulette. Procédez ainsi jusqu'à épuisement des ingrédients. Passez toutes les boulettes dans la farine et faites-les frire dans de l'huile pas trop chaude. Servez aussitôt.

Farce

Mettez le beurre dans une poêle et faites-y revenir l'oignon finement émincé à feu doux. Ajoutez la tomate pelée et coupée en dés, puis le veau haché. Laissez rissoler. Incorporez les raisins secs et l'œuf dur émincé. Assaisonnez de sel, poivre et une pincée de sucre. Mélangez.

Pain de mie au fromage

Petits chaussons aux épinards, aux raisins de Corinthe et aux pignons

 1 h 20

Ingrédients pour 4 personnes

300 g de farine, 100 g de beurre fondu
2 jaunes d'œufs, 1 sachet de levure
huile, sel, huile pour friture
feuilles d'endive, raisins de Corinthe, 1 brin d'aneth

Pour la farce

400 g d'épinards, 100 g de raisins de Corinthe
30 g de pignons, 50 cl de crème fraîche
2 jaunes d'œufs

Préparation

Préparez la pâte en mélangeant la farine avec le beurre fondu, les jaunes d'œufs, la levure, un filet d'huile, une pincée de sel et un peu d'eau.

Abaissez la pâte et coupez-y des cercles avec un moule à tartelettes ou une grande tasse. Pétrissez les chutes de pâte, puis abaissez à nouveau celle-ci, afin d'y découper d'autres cercles.

Préparez la farce.

Déposez un peu de farce sur la moitié de chaque cercle de pâte, rabattez l'autre moitié par-dessus et soudez les bords avec les dents d'une fourchette.

Faites frire les chaussons dans une grande quantité d'huile. Servez aussitôt, décoré de feuilles d'endive, raisins de Corinthe et aneth.

Farce

Lavez les épinards. Faites-les cuire à l'eau bouillante salée 20 min environ, égouttez-les et hachez-les grossièrement.

Ébouillantez les raisins secs et les pignons, puis faites-les dorer dans une poêle à revêtement antiadhésif.

Ajoutez la crème et les jaunes d'œufs aux épinards. Incorporez les raisins secs et les pignons. Mélangez et faites chauffer à feu doux.

Beignets de morue

 1 h

Ingrédients pour 6 personnes

300 g de filets de morue
le jus de 1 citron, huile pour friture
150 g de farine
sel, 10 g de levure
2 cuil. d'huile
14 cuil. d'eau

Préparation

Faites tremper les filets de morue 24 h dans de l'eau froide, que vous changerez trois fois.

Épongez la morue, détaillez-la en languettes dans un bol. Ajoutez le jus de citron, mélangez et réservez.

Pendant ce temps, préparez la pâte. Versez la farine dans un récipient. Faites un puits, ajoutez une pincée de sel, la levure, l'huile et l'eau. Mélangez, couvrez et laissez reposer.

Plongez les languettes de morue dans la pâte et faites-les frire dans de l'huile très chaude. Servez aussitôt.

Petits chaussons aux épinards, aux raisins de Corinthe et aux pignons

Friture de gambas

⏰ **1 h**

Ingrédients pour 4 personnes

1 kg de gambas, sel
300 g de farine
1 filet de vinaigre
1 blanc d'œuf, huile pour friture

Préparation

Plongez les gambas dans 1 litre d'eau bouillante salée. Laissez cuire 2 à 3 min. Passez l'eau au chinois et réservez. Laissez refroidir les gambas. Ôtez la tête et décortiquez les queues, en veillant à ne pas les briser.

Mettez la farine dans un récipient. Ajoutez le vinaigre et une pincée de sel, puis versez peu à peu une petite quantité de jus de cuisson des gambas, jusqu'à obtention d'une pâte épaisse. Battez le blanc d'œuf en neige et incorporez-le à la pâte.

Passez les gambas dans la pâte, en les tenant par une extrémité, puis plongez-les immédiatement dans de l'huile très chaude.

Égouttez les gambas sur du papier absorbant et servez aussitôt.

Hors-d'œuvre aux œufs

Œufs farcis au thon

  45 min

Ingrédients pour 4 personnes

4 œufs, 50 g de jambon de pays
1 boîte de thon au naturel, mayonnaise fluide
quelques feuilles d'épinards ou de salade blanchies
quelques olives, 1 poivron rouge (facultatif)

Préparation

Faites cuire les œufs à l'eau bouillante 10 min. Laissez-les refroidir, écalez-les et coupez une extrémité, que vous réservez. Extrayez les jaunes.

Hachez finement le jambon. Émiettez le thon et deux jaunes d'œufs. Mélangez ces trois ingrédients avec un peu de mayonnaise.

Farcissez les œufs de ce mélange. Dressez-les sur un lit de feuilles d'épinards ou de salade. Parsemez-les des jaunes d'œufs restants émiettés.

Décorez avec les chapeaux de blanc d'œuf et, éventuellement, des olives et de petits dés de poivron rouge.

Œufs au caviar

 40 min

Ingrédients pour 4 personnes

2 échalotes
sel, poivre du moulin, vinaigre, huile
4 œufs
30 g de caviar ou 1 petit bocal d'œufs de lump
1 tomate pelée et coupée en rondelles
1 botte de cresson

Préparation

Pelez et hachez finement les échalotes. Assaisonnez de sel, poivre, vinaigre et huile.

Faites cuire les œufs à l'eau bouillante 10 min. Laissez-les refroidir, écalez-les et coupez-les en deux. Émiettez les jaunes dans un mortier. Ajoutez les échalotes hachées. Mélangez, puis incorporez le caviar ou les œufs de lump.

Farcissez les blancs de ce mélange. Décorez-les d'une rondelle de tomate et dressez-les sur un lit de cresson.

Œufs farcis au thon

Omelette à la morue

 1 h 15 min

Ingrédients pour 6 personnes

500 g de filets de morue

2 oignons

huile

2 gousses d'ail épluchées

3 œufs

1 poivron rouge, 1 poivron vert, 1 concombre,
   feuilles de trévise, dés de tomate

Préparation

Faites tremper les filets de morue 24 h dans de l'eau froide, que vous changerez trois fois.

Retirez la peau et les arêtes de la morue, épongez-la et émiettez-la.

Dans une poêle, faites revenir les oignons hachés dans un peu d'huile, avec l'ail émincé.

Jetez l'huile. Mettez la morue dans la poêle, mélangez et laissez rissoler à feu doux 20 min environ, en remuant de temps en temps.

Incorporez les œufs battus, mélangez et laissez cuire l'omelette à votre convenance.

Dressez l'omelette sur un plat. Décorez-la de lanières de poivron rouge, de rondelles de poivron vert et de concombre, surmontées d'un dé de tomate, et de feuilles de trévise. Servez. Vous pouvez aussi hachurer la surface de l'omelette, puis couper celle-ci en petits carrés que vous servirez en amuse-gueule.

Œufs en ramequins

 45 min

Ingrédients pour 4 personnes

40 g de beurre

200 g d'emmental râpé

4 œufs

40 cl de crème fraîche liquide

sel, noix muscade

Préparation

Beurrez quatre ramequins.

Mettez 40 g d'emmental dans les ramequins et cassez un œuf dans chacun d'eux, en veillant à ne pas abîmer le jaune.

Ajoutez la crème fraîche, additionnée de sel et muscade.

Couvrez avec le reste d'emmental et ajoutez une noix de beurre.

Faites cuire au four 15 min et servez aussitôt.

Œufs fantaisie à la tomate

 20 min

Ingrédients pour 6 personnes

mayonnaise épaisse
1 romaine ou 150 g d'épinards lavés
6 œufs durs
3 petites tomates de taille égale

Préparation

Étalez la mayonnaise dans un plat. Recouvrez-la de romaine ciselée en chiffonnade ou d'épinards hachés.
Écalez les œufs durs, coupez la partie supérieure et disposez-les dans le plat.
Coupez les tomates en deux et posez-les sur chaque œuf, côté bombé sur le dessus. Servez.

 ## Coquilles d'épinards aux œufs

 45 min

Ingrédients pour 4 personnes

500 g d'épinards, sel
60 g de beurre
2 cuil. de farine
4 œufs
10 cl de lait
50 g de gruyère râpé
poivre blanc du moulin, noix muscade

Préparation

Lavez les épinards et faites-les cuire dans de l'eau bouillante salée 10 min.
Égouttez-les, hachez-les et faites-les revenir dans une poêle avec une noix de beurre.
Mettez un peu de beurre dans une casserole. Ajoutez la farine, puis, avant qu'elle brunisse, les œufs, le lait, la moitié du gruyère râpé, une pincée de sel, du poivre blanc et de la noix muscade. Remuez avec une spatule et, lorsque le mélange commence à roussir, ôtez la casserole du feu.
Répartissez les épinards dans des moules en forme de coquille.
Recouvrez-les des œufs brouillés, parsemez le reste de gruyère râpé et versez le reste du beurre fondu dessus.
Faites gratiner quelques minutes à four très chaud.

 ## Tomates farcies d'œuf et jambon

50 min

Ingrédients pour 6 personnes

6 tomates de taille égale, sel et poivre du moulin
6 cuil. de jambon haché menu, 6 œufs
beurre
250 g de petits pois écossés

Œufs fantaisie à la tomate

250 g de carottes épluchées
croûtons, huile (facultatif)

Préparation

Coupez la partie supérieure des tomates et évidez-les. Salez, poivrez et mettez 1 cuil. de jambon haché menu dans chaque tomate. Cassez un œuf par-dessus et ajoutez une noix de beurre.

Mettez à four chaud 10 min.

Faites cuire séparément les petits pois et les carottes à l'eau bouillante salée 20 min environ.

Égouttez-les et faites-les revenir, toujours séparément, dans une poêle avec un peu de beurre.

Dressez les tomates sur un plat. Décorez avec les petits pois et les carottes, en les alternant.

Vous pouvez ajouter, éventuellement, des croûtons coupés en triangle dorés à l'huile.

Hors-d'œuvre aux légumes

Pommes de terre à l'italienne

 2 h 20 min

Ingrédients pour 4 personnes
1 kg de pommes de terre moyennes
sel
200 g de beurre
romarin

Préparation
Pelez les pommes de terre et coupez-les en quatre. Mettez-les dans un plat allant au four, salez-les et couvrez-les de beurre. Faites cuire à four chaud 2 h, en arrosant les pommes de terre de temps en temps de beurre fondu. Parsemez-les de romarin 30 min avant la fin de la cuisson. Servez très chaud.

Céleri au roquefort

 40 min

Ingrédients pour 4 personnes
1 pied de céleri
300 g de roquefort

Préparation
Nettoyez le céleri et ôtez les feuilles. Coupez les côtes en petits bâtonnets de 5 cm environ.
Faites fondre le roquefort à feu doux. Versez-le dans un plat creux et disposez les bâtonnets de céleri tout autour.
Pour déguster, plongez les bâtonnets de céleri un par un dans le roquefort fondu.

Pommes de terre à l'italienne (en haut)

Tomates farcies au gruyère (en bas)

 ## Tomates farcies au gruyère

 1 h 15 min

Ingrédients pour 4 personnes

4 tomates, 1 oignon
2 cuil. de beurre, 4 cuil. de mie de pain
10 cl de lait, 1 œuf, 150 g de gruyère râpé
sel, poivre du moulin, 1 cuil. de persil ciselé,
   noix muscade

Préparation

Ôtez le pédoncule des tomates, décalottez-les, retirez les graines et retournez-les sur une grille 30 min, pour qu'elles évacuent l'eau de végétation.

Faites revenir l'oignon finement haché dans une poêle avec 1 cuillerée de beurre.

Retirez la poêle du feu. Ajoutez la mie de pain trempée dans le lait et égouttée, l'œuf, 100 g de gruyère râpé, une pincée de sel et de poivre, le persil ciselé et de la noix muscade.

Mélangez bien et remplissez chaque tomate de farce. Arrosez-les du reste de beurre fondu et parsemez le gruyère râpé restant.

Faites gratiner au four 30 min environ. Servez aussitôt.

 ## Pommes de terre à l'aïoli

 45 min

Ingrédients pour 4 personnes

4 pommes de terre
sel
1 tasse à café de mayonnaise maison
   ou du commerce
2 gousses d'ail

Préparation

Lavez les pommes de terre. Faites-les cuire en robe des champs dans une grande quantité d'eau salée 30 min.

Laissez-les refroidir, épluchez-les et coupez-les en rondelles que vous dressez sur un plat.

Préparez, le cas échéant, une mayonnaise épaisse.

Pilez les gousses d'ail dans un mortier avec une pincée de sel, incorporez la purée obtenue à la mayonnaise et mélangez.

Nappez les pommes de terre d'aïoli et servez.

Hors-d'œuvre à la viande

Veau au thon à l'italienne

 30 min

Ingrédients pour 6 personnes

1 grosse boîte de thon au naturel
2 cuil. de câpres, 3 filets d'anchois à l'huile
mayonnaise liquide
1 kg de noix de veau, sel
cornichons, carottes, petits oignons au vinaigre
    ou rondelles de citron

Préparation

Dans un saladier, mélangez le thon avec les câpres et les anchois.
Ajoutez la mayonnaise, mélangez et réservez.
Coupez le veau en très fines tranches. Plongez celles-ci quelques minutes dans de l'eau bouillante salée. Égouttez-les et épongez-les.
Dressez les tranches de veau sur un plat et nappez-les de sauce. Décorez avec des cornichons, des carottes et des petits oignons au vinaigre, ou avec de minces rondelles de citron.

Aiguillettes de blanc de chapon

 2 h 20 min

Ingrédients pour 4 personnes

2 blancs de chapon
6 cuil. d'huile
1 verre de vinaigre de xérès
2 oignons
4 carottes
2 poireaux
2 gousses d'ail
sel, poivre noir en grains, thym, laurier

Préparation

Mettez les blancs de chapon dans un faitout contenant 50 cl d'eau. Ajoutez l'huile, le vinaigre, les oignons, les carottes et les poireaux, lavés, épluchés et coupés en morceaux, l'ail, une pincée de sel et des grains de poivre noir, du thym et du laurier. Couvrez et faites cuire à feu doux 2 h.
Retirez les blancs de volaille du faitout. Ôtez la peau et découpez-les en aiguilettes que vous dressez sur un plat. Servez avec l'accompagnement de votre choix.

Beignets au poulet

 1 h 30 min

Ingrédients pour 6 personnes

25 cl d'eau
60 g de beurre, sel
125 g de farine
3 ou 4 œufs
100 g de poulet rôti

*Beignets
au poulet*

50 g de jambon de pays
30 g de gruyère râpé
poivre du moulin
huile pour friture, quelques brins de persil

Préparation

Dans une casserole, faites chauffer l'eau avec le beurre et une pincée de sel. Dès le début de l'ébullition, versez la farine d'un coup et remuez vigoureusement, jusqu'à ce que le mélange épaississe. Lorsque celui-ci se détache de la paroi de la casserole, ôtez-la du feu. Laissez refroidir.

Ajoutez les œufs un par un, en battant énergiquement. Vous utiliserez 3 ou 4 œufs, selon leur grosseur, en veillant à ce que la pâte ne devienne pas trop blanche.

Incorporez le poulet rôti et le jambon finement hachés, puis le gruyère râpé. Poivrez. Réservez à température ambiante.

Faites chauffer une bonne quantité d'huile dans une poêle.

Prélevez 1 cuillerée de pâte pour confectionner chaque beignet — veillez à ne pas en mettre plus, car les beignets gonfleront à la cuisson, et ce d'autant que vous procéderez par petites quantités à la fois. Faites-les frire jusqu'à ce qu'ils soient bien dorés.

Servez très chaud sur une serviette pliée et décorez de brins de persil.

Hors-d'œuvre divers et aux abats

Boudin à la sauce tomate

 20 min

Ingrédients pour 4 personnes
2 morceaux de boudin noir
huile, pain, sauce tomate

Préparation
Coupez le boudin en rondelles.
Faites-les griller à la poêle dans un peu d'huile.
Servez sur de fines tranches de pain, nappé d'un peu de sauce tomate chaude. Pour déguster, vous pouvez utiliser des pique-olives.

Hachis du charcutier

 15 min

Ingrédients pour 4 personnes
huile
500 g de hachis

Préparation
Mettez de l'huile à chauffer dans une grande poêle.
Ajoutez le hachis et faites-le frire légèrement.
Servez dans une cassolette ou sur de petites tranches de pain.

Brochette de rognons de veau

40 min

Ingrédients pour 4 personnes
500 g de rognons de veau, vinaigre, huile, sel
100 g d'épinards, 1 tomate coupée en rondelles

Préparation
Préparez les rognons, vinaigrez-les et coupez-les en deux. Enfilez-les sur une brochette. Huilez, salez et faites griller 5 min de chaque côté. Servez sur une chiffonnade d'épinards blanchis, avec les rondelles de tomate.

Fricassée de foie à l'origan

 30 min

Ingrédients pour 4 personnes
2 cuil. d'huile, 500 g de foie de génisse ou d'agneau coupé en petits dés
sel, poivre du moulin, le jus de $\frac{1}{2}$ citron, origan
persil ciselé, rondelles de citron

Préparation
Faites chauffer l'huile. Ajoutez le foie, sel, poivre, jus de citron et origan. Laissez cuire 10 min. Parsemez du persil. Servez décoré de rondelles de citron, ou sur de petites tranches de pain.

Fricassée de foie à l'origan

Brochette
de rognons
de veau

 ## Tartines de foie de génisse au lard

 30 min

Ingrédients pour 4 personnes
150 g de foie de génisse coupé en dés
150 g de lard maigre coupé en dés
crème fraîche
½ oignon haché menu
persil haché menu
sel et poivre du moulin
4 belles tranches de pain complet

Préparation
Faites cuire le foie et le lard dans une poêle à revêtement antiadhésif 15 à 20 min, puis hachez-les au mixeur. Ajoutez de la crème fraîche selon le goût, puis l'oignon et le persil hachés menu. Salez et poivrez. Tartinez les tranches de pain de ce mélange et servez.

 ## Foie de porc aux poivrons rouges

1 h

Ingrédients pour 4 personnes
750 g de foie de porc escalopé finement, sel
1 gousse d'ail émincée, persil ciselé, 1 œuf
chapelure, 500 g de poivrons rouges
6 cuil. d'huile d'olive

Préparation
Mettez les tranches de foie dans un plat. Salez, ajoutez l'ail et le persil. Laissez reposer quelques minutes. Passez-les dans l'œuf battu et dans la chapelure. Mettez l'huile à chauffer et faites-y frire le foie. Faites griller les poivrons au four 25 min. Pelez-les. Réservez le jus. Incorporez-les au foie, avec le jus. Portez à ébullition. Servez le foie décoré avec les poivrons et nappé de sauce.

Hors-d'œuvre au poisson et fruits de mer

 ## Filets de merlu avec une mayonnaise au curry

 1 h

Ingrédients pour 4 personnes

1 kg de merlu, sel, 2 noix de beurre
le jus de ½ citron, tranches de pain
mayonnaise, 1 cuil. à café de curry
1 radis, 1 tomate cerise

Préparation

Ôtez la peau et les arêtes du merlu. Coupez-le en filets, puis en morceaux. Salez.

Chauffez le four à température moyenne. Faites fondre le beurre dans un plat allant au four, ajoutez les filets de poisson et le jus de citron. Laissez cuire 10 min.

Sortez le plat du four. Dressez les morceaux de merlu sur de fines tranches de pain et servez sur un lit de mayonnaise additionnée du curry. Décorez de rondelles de radis et d'une tomate cerise.

Gratin d'araignée de mer

 1 h

Ingrédients pour 4 personnes

1 oignon
2 carottes
1 poireau
1 grosse araignée de mer
huile
1 verre de xérès ou de cognac
sauce tomate
10 cl de crème fraîche
poivre blanc du moulin, beurre fondu, chapelure,
    persil ciselé

Préparation

Faites chauffer de l'eau dans une marmite, avec l'oignon, les carottes et le poireau lavés, épluchés et coupés en julienne.

Lorsque l'eau bout, plongez-y l'araignée de mer et laissez cuire 25 min environ, selon sa taille et son poids.

Retirez l'araignée de mer du bouillon et laissez-la refroidir.

Pour extraire le maximum de chair de l'araignée, décortiquez-la de la façon suivante : ôtez les barbillons

sur la partie inférieure, puis, avec un couteau, pratiquez une incision au niveau de l'appendice buccal ; exercez une pression avec les mains pour séparer le crustacé en deux. Nettoyez la carapace : elle vous servira à présenter le plat. Évidez les pattes et le coffre, en ôtant les membranes et les parties cartilagineuses. Réservez le jus.

Mettez de l'huile dans une poêle. Faites-y revenir les légumes utilisés pour le bouillon. Ajoutez la chair de l'araignée émiettée et son jus. Mélangez. Versez le xérès ou le cognac, puis incorporez la sauce tomate et, peu à peu, la crème fraîche. La sauce doit être onctueuse.

Transférez le contenu de la poêle dans la carapace. Poivrez, ajoutez un peu de beurre fondu, de la chapelure et du persil ciselé. Faites gratiner à four chaud 5 min.

Cuisses de grenouille frites

 2 h 30 min

Ingrédients pour 4 personnes

16 cuisses de grenouille, le jus de 1 citron
sel et poivre du moulin, 100 g de farine
2 œufs, huile pour friture, brins de persil

Préparation

Faites macérer les cuisses de grenouille dans le jus de citron, additionné de sel et de poivre, 2 h.

Passez-les dans la farine, puis dans l'œuf battu.

Faites-les frire dans de l'huile bien chaude. Servez décoré de brins de persil.

Joues de colin en friture

 1 h

Ingrédients pour 6 personnes

1 kg de joues de colin
sel
100 g de farine
2 œufs battus
10 cl d'huile
2 gousses d'ail épluchées
1 laitue lavée et taillée en chiffonnade
4 citrons

Préparation

Nettoyez soigneusement les joues de colin, ôtez la peau et les arêtes.

Salez et passez les joues dans la farine, puis tapotez-les pour éliminer l'excédent. Passez-les dans l'œuf battu et égouttez-les.

Faites chauffer l'huile dans une grande poêle avec les gousses d'ail, que vous retirez dès qu'elles commencent à brunir. Baissez le feu et faites frire brièvement les joues par petites quantités, pour qu'elles ne se collent pas les unes aux autres.

Il est important de ne pas les cuire top longtemps, afin qu'elles conservent leur texture, leur saveur et leur moelleux.

Retirez les joues de la poêle et déposez-les sur une serviette en papier, pour absorber l'huile.

Dressez la friture sur un lit de laitue. Décorez de quartiers de citron, que vous presserez sur les joues de colin avant de les déguster.

Filets de merlu avec une mayonnaise au curry (en bas)

Cuisses de grenouille frites (en haut)

Canapés

Canapés aux anchois

 20 min

Ingrédients pour 4 personnes
6 tranches de pain de mie
1 petite boîte d'anchois à l'huile, 50 g de beurre
2 œufs durs émincés en rondelles
12 cornichons coupés en deux dans la longueur
olives noires coupées en quatre

Préparation
Coupez les tranches de pain de mie en quatre et faites-les dorer au four.
Écrasez quelques anchois au mortier et malaxez-les avec le beurre. Étalez la purée obtenue sur les canapés.
Décorez avec une rondelle d'œuf dur, un demi-cornichon, deux filets d'anchois, une lamelle de blanc d'œuf et deux quartiers d'olive noire.

Canapés aux gambas

 30 min

Ingrédients pour 4 personnes
500 g de gambas, sel, 1 feuille de laurier
1 cuil. de jus de citron
1 petit bocal de poivrons rouges finement hachés
2 cuil. d'oignon haché, tabasco, mayonnaise
pain de mie ou bouchées de pâte feuilletée

Préparation
Faites cuire les gambas dans une grande quantité d'eau salée avec le laurier 15 min environ.
Décortiquez-les et pilez-les au mortier. Ajoutez le jus de citron, les poivrons, l'oignon, quelques gouttes de tabasco et de la mayonnaise. Mélangez bien.
Étalez la préparation sur de petites tranches de pain de mie ou farcissez-en des bouchées de pâte feuilletée.

Canapés aux anchois

Canapés aux asperges et aux noix

   30 min

Ingrédients pour 4 personnes

1 boîte d'asperges, 60 g de beurre
4 tranches de pain de mie, 1 jaune d'œuf
le jus de 1 citron, 1 cuil. de crème fraîche
50 g de noix
sel, poivre du moulin, 1 brin de persil

Préparation

Ouvrez la boîte d'asperges et faites-les chauffer au bain-marie.

Beurrez légèrement les tranches de pain de mie et faites-les dorer au four.

Mettez le jaune d'œuf et le jus de citron dans une casserole, à feu très doux, et remuez avec une spatule jusqu'à obtention d'un mélange homogène. Incorporez le reste du beurre peu à peu.

Ôtez la casserole du feu. Sans cesser de remuer, ajoutez la crème fraîche, les noix finement hachées, en en réservant quatre cerneaux, une pincée de sel et du poivre.

Égouttez les asperges, disposez-les sur les tranches de pain de mie et nappez-les de sauce. Décorez avec les cerneaux de noix et une feuille de persil.

Servez aussitôt.

Petits pains au lait au foie gras

  30 min

Ingrédients pour 6 personnes

100 g de beurre, 100 g de farine
50 cl de lait
100 g de foie gras
50 g de gruyère râpé
sel
12 petits pains au lait

Préparation

Mettez la moitié du beurre dans une casserole, versez la farine et laissez mijoter, en veillant à ce qu'elle ne brunisse pas. Ajoutez le lait bouillant et remuez avec une spatule pour qu'il n'attache pas. Laissez cuire 8 min sans cesser de remuer.

Incorporez le foie gras à la béchamel, ajoutez 1 cuillerée de gruyère râpé et une pincée de sel.

Fendez les petits pains en deux et retirez un peu de mie. Répartissez la sauce dans les petits pains, fermez-les et laissez refroidir.

Faites fondre le reste du beurre à feu doux et badigeonnez-en les petits pains. Parsemez le reste de gruyère râpé, puis versez le beurre fondu dessus. Faites dorer à four chaud quelques minutes.

Index

Traduction française de Claudine Voillereau
Révision de Laurence Giaume

Première édition française 1997 par Les Éditions de l'Ours, Paris
© 1997, Éditions de l'Ours pour l'édition française
ISBN : 2-7000-7026-7
Dépôt légal : janvier 1997
Édition originale 1995 par Agata
sous le titre original *Los Entrantes y Ensaladas*
© 1995, Editorial Agata

Photocomposition : PFC, Dole (Optima, Caxton, Cushing)
Imprimé en Espagne